Debout sur un pied

Nina Jaffe et Steve Zeitlin

Debout sur un pied

Adapté de l'américain par Raphaël Fejtö

Neuf
l'école des loisirs
11, rue de Sèvres, Paris 6e

Pour Bob, mon mari.

N.J.

Pour Amanda, ma femme, qui, au milieu de la bousculade quotidienne du travail et des enfants, a su me montrer comment apprécier la vie « debout sur un pied ».

S.Z.

ISBN : 978-2-211-02359-7

Titre original « Standing on are foot » (Henry Holt & Company, New York)
Loi n° 49.956 du 16 juillet 1949 sur les publications destinées à la jeunesse : septembre 1994
Dépôt légal : août 2014
Imprimé en France par Hérissey à Évreux (Eure)
N° d'imprimeur : 122940

Introduction

Dans ce livre, tu seras convié à rivaliser d'intelligence avec les héros et les héroïnes de ces histoires.

Lis la première partie de chaque histoire et imagine ce que tu aurais fait dans telle ou telle situation. Puis, lis la suite de l'histoire pour savoir comment le héros ou l'héroïne a résolu le problème. Mais rappelle-toi bien que les solutions sont pacifiques, tu ne peux pas te servir de moyens violents pour te tirer d'embarras. Il se peut que tu sois pris au piège. Et, tout comme les sages rabbins et les esprits subtils de ces contes, tu devras être vif et prendre des décisions rapides et sages, « en te tenant sur un seul pied ».

Le Grand Inquisiteur

Un jour, à Séville, un terrible crime fut commis et personne ne savait qui en était coupable. Cherchant autour de lui quelqu'un à accuser, le Grand Inquisiteur décida que les Juifs devraient en répondre. De tous ceux qui vivaient à Séville, ce fut le rabbin Pinkhes qu'il fit rechercher. C'était le rabbin de la plus grande communauté juive de la ville. Il était l'homme que les Juifs écoutaient et respectaient le plus. S'il était condamné, ils en souffriraient sûrement. Le Grand Inquisiteur fit passer le rabbin en jugement et essaya de convaincre le jury qu'il était coupable. Le jury lui répondit qu'il n'y avait pas la moindre preuve justifiant son accusation. Mais rien ne pouvait arrêter le Grand Inquisiteur. Il revint avec un nouveau stratagème pour condamner le rabbin.

« Nous laisserons cette affaire entre les mains de Dieu, dit-il, j'ai décidé que le moyen le plus juste pour trancher était de faire un tirage au sort. Je mettrai deux bouts de papier pliés dans une boîte. Sur l'un d'eux, j'écrirai "coupable" et sur l'autre "non coupable". Si le rabbin tant estimé pioche le morceau où j'aurai écrit "coupable", cela signifiera que lui et tous les Juifs sont coupables, et le rabbin sera exécuté sur-le-champ. S'il pioche le morceau où j'aurai écrit "non coupable", nous devrons le laisser partir. »

Le Grand Inquisiteur était un homme plein de méchanceté. Il voulait que le rabbin meure et il ne comptait pas le laisser partir. Le rabbin en avait bien conscience et soupçonna l'Inquisiteur d'avoir écrit « coupable » sur les deux bouts de papier.

Le Grand Inquisiteur ricana et dit au rabbin :

« Maintenant, piochez-en un. »

Si tu étais à la place du rabbin Pinkhes, le sage responsable de la plus grande synagogue de Séville, il y a de cela cinq cents ans, que ferais-tu ? Comment t'échapperais-tu du piège cruel tendu par le Grand Inquisiteur ?

Le rabbin Pinkhes connaissait bien le Grand Inquisiteur. Il pouvait suivre le fil tortueux de ses pensées. Il sourit au juge qui triomphait à l'avance. « Comme c'est gentil, dit-il, de me donner une chance de pouvoir partir libre. Comme c'est équitable de laisser Dieu prendre la décision. » Puis, d'un geste rapide, il plongea sa main dans la boîte, prit un morceau de papier et, avant que quiconque se rende compte de ce qu'il faisait, il l'avala !

« Pourquoi avez-vous fait cela ? s'exclama l'Inquisiteur. À présent, nous ne saurons jamais quel morceau de papier vous avez pioché. Pour vous, c'est la mort assurée. »

« Dieu m'a inspiré d'avaler le bout de papier pour prouver mon innocence ! Si vous avez le moindre doute, dit le rabbin, vous n'avez qu'à regarder le bout de papier qui reste dans la boîte. S'il y a marqué "non coupable", alors il y avait marqué "coupable" sur celui que j'ai avalé. Mais s'il y a marqué "coupable" dessus, alors, sur celui que j'ai avalé, il y avait marqué "non coupable". »

Le Grand Inquisiteur déglutit avec peine. Il eut beau chercher, il ne trouvait rien à redire à cela. Il enfouit alors sa main dans la boîte et lut le bout de papier. Et comme l'avait soupçonné le rabbin, il y avait marqué « coupable » dessus.

« Vous voyez ? dit le rabbin, il y avait donc marqué "non coupable" sur celui que j'ai avalé. »

Le Grand Inquisiteur devint rouge cramoisi mais il fallait bien qu'il rende sa liberté au rabbin.

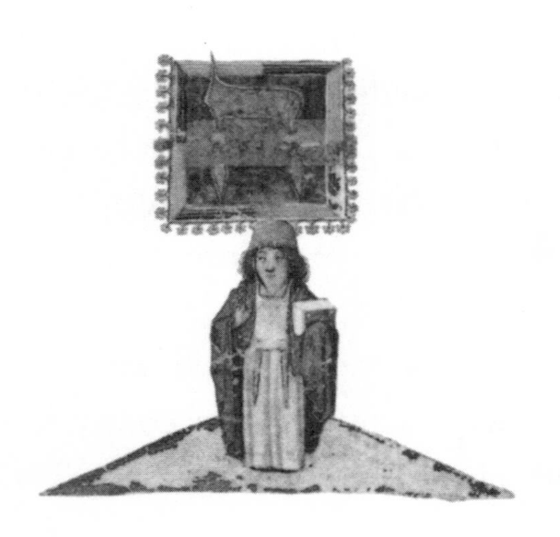

Le prince coq

Il était une fois, dans un ancien royaume, un prince qui était gentil, intelligent et d'une très grande beauté.

Mais un jour, il se mit dans la tête qu'il était un coq. Au début, le roi crut que ce n'était qu'une lubie de passage, une phase que son fils traversait. Mais lorsque le prince retira tous ses vêtements et commença à battre des bras et à pousser des cocoricos, le roi comprit qu'il avait un véritable problème. Le prince avait établi sa résidence sous la table de la salle à manger et n'ingurgitait plus que des grains de maïs tombés sur le tapis royal.

Le roi était triste de voir son fils dans un tel état. Il fit venir ses meilleurs médecins, ses magiciens et ses faiseurs de miracles.

Chacun leur tour, ils parlèrent au prince, mais, en dépit de leur médecine et de leur magie, le prince restait convaincu qu'il était un coq. Un par un, ils défilaient devant lui et chaque fois le coq poussait ses cocoricos.

Le roi tomba dans une grande mélancolie, à présent certain que personne ne pourrait débarrasser son fils de son étrange mal. Il dit à ses serviteurs de ne plus laisser aucun docteur ou magicien pénétrer dans l'enceinte de son royaume. Il en avait assez.

Un jour cependant, un sage étranger s'approcha du palais et frappa avec bruit contre la porte de bois. Le garde l'ouvrit d'un coup sec et vit un vieil homme aux yeux perçants qui le fixait : « J'ai cru comprendre que le fils du roi se prenait pour un coq. Eh bien, je suis là pour lui prouver le contraire. »

Le serviteur referma la large porte de bois et dit :

« Tant de gens ont essayé et ont échoué... Va-t'en, vieil homme ! »

Le lendemain, le garde entendit encore un bruit sourd contre la porte. Il l'ouvrit d'un coup sec.

« J'ai un message pour le roi », dit le sage inconnu.

« Qu'est-ce que c'est ? dit le serviteur. Donne-le-moi et va-t'en. »

« Dites au roi ces mots exacts : "Pour

sortir un ami de la boue, il faut parfois mettre à son tour son pied dans la boue." »

Le serviteur n'avait aucune idée de ce que cela signifiait, mais il fit attendre le sage et alla porter le message au roi. Effondré sur son trône, le roi écouta le message énigmatique : « "Pour sortir un ami de la boue, il faut parfois mettre aussi son pied dans la boue." Hmm... que veut-il dire par là ? »

Mais lorsqu'il réfléchit bien, les mots commencèrent à signifier quelque chose. Il se releva et dit : « Faites-le venir. Je vais lui donner une chance. »

Quel était le sens du message ?

Comment penses-tu que le sage soigna le prince coq ?

À la stupéfaction de chacun, le sage commença de se dévêtir. Le roi hocha tristement la tête. À présent, il y avait deux hommes nus sous la table de la salle à manger, qui poussaient des cris.

Très vite, le prince demanda au sage :

« Qui es-tu ? Qu'est-ce que tu fais là ? »

« Tu ne vois pas ? répondit le sage. Je suis un coq, tout comme toi. »

Le prince était content d'avoir trouvé un ami et le palais retentit de battements d'ailes et de cocoricos. Mais le lendemain, le sage sortit de sous la table, releva son dos et s'étira.

« Quoi ? Mais qu'est-ce que tu fais ? » demanda le prince.

« Ne t'inquiète pas, dit le sage, le fait que tu sois un coq n'implique pas que tu doives vivre sous une table. »

Le prince admirait son ami, alors il essaya. C'était vrai. Un coq peut se tenir debout et s'étirer tout en restant quand même un coq.

Le jour suivant, le sage enfila une chemise et une paire de pantalons.

« As-tu perdu la tête ? » demanda le prince.

« J'avais un peu froid, dit le sage, et puis ce n'est pas parce que tu es un coq que tu ne peux pas enfiler des vêtements d'homme. Tu restes toujours un coq. »

Perplexe, le prince enfila des vêtements à contrecœur.

Alors le sage ordonna qu'on leur serve un repas dans les plats dorés du roi. Il se mit à table avec le prince et, sans qu'il s'en rende compte, le prince se mit à manger. Le sage engagea avec lui une vive discussion à propos des affaires du royaume. Soudain, le prince sauta de table et cria : « Ne sais-tu pas que nous sommes des coqs ? Comment pouvons-nous nous asseoir à cette table et parler comme si nous étions des hommes ? »

« Ahah ! cria le sage. À présent, je vais te confier un grand secret : on peut s'habiller comme un homme, manger comme un homme, parler comme un homme et rester tout de même un coq. »

« Hmm… » dit le prince.

Et depuis ce jour, il se conduisit exactement comme un homme. Peu d'années après, il prit en main la direction du royaume, et le mena à la gloire.

Mais de temps en temps, la pensée le traversait qu'il était en fait toujours un coq : et quand il était seul, il poussait un petit cocorico, juste pour en être bien sûr.

L’affaire de l’œuf dur

Le roi David avait une nombreuse suite et beaucoup de soldats qui le servaient à la cour. Un jour, il envoya l’un de ses tisserands acheter de la laine pour les métiers à tisser royaux. Sur le chemin du retour, le tisserand s’arrêta pour petit-déjeuner dans une auberge sur le bord de la route. Il commanda un œuf dur à l’aubergiste qui avait l’air bourru et maussade. Il mangea son œuf, mais lorsque vint le moment de le payer, il s’aperçut que ses poches étaient vides. Il n’avait même pas le peu de monnaie nécessaire pour payer l’œuf à l'aubergiste. Celui-ci se fâcha. Le tisserand s'excusa abondamment et lui promit qu'il viendrait le payer dès qu'il le pourrait. Laissant l'aubergiste marmonner dans sa barbe, le tisserand monta sur sa mule et reprit le chemin du palais. Là, il fut accueilli par son ami, le prince Salomon, fils du roi David, qui n'était encore qu'un enfant en ce temps-là.

Comme l'œuf ne coûtait presque rien, et que l'auberge se trouvait à des kilomètres du palais, ce ne fut qu'un an plus tard, lors d'une autre expédition, que le tisserand retourna payer ses dettes. Et cette fois-ci, il emmena avec lui, sur sa mule, le jeune Salomon.

Quand ils entrèrent dans l'auberge, le tisserand remarqua que l'aubergiste avait l'air toujours aussi maussade et bourru que lorsqu'il l'avait vu pour la première fois. Il s'approcha de cet homme renfrogné et lui dit :

« Je suis venu vous payer l'œuf que j'ai mangé ici, il y a de cela un an. » Mais lorsque le tisserand posa la monnaie sur la table, l'aubergiste fronça les sourcils :

« Que signifient ces deux misérables sous ? »

« C'est pour l'œuf dur », répondit poliment le tisserand.

« Et vous croyez que c'est tout ce que vaut un œuf ? aboya l'aubergiste. Si je ne vous avais pas vendu cet œuf, cet œuf serait devenu un poulet. Et ce poulet aurait donné une douzaine d'autres poulets, et chacun de ces poulets en aurait encore donné une douzaine d'autres. J'exige une somme équivalente à la valeur de tous ces poulets. »

Les deux hommes se disputèrent et allaient en venir aux mains lorsque le jeune Salomon intervint :

« Laisse-nous soumettre cette affaire à mon père, le roi David. »

Lorsque l'aubergiste réalisa que le jeune homme qui accompagnait le tisserand était le fils du roi David, il se tut aussitôt. Ils décidèrent de soumettre l'affaire au roi.

Le roi David entendit les deux points de vue sur l'affaire et annonça qu'il rendrait son jugement le lendemain. Mais Salomon et le tisserand étaient bien ennuyés. Il était clair que le roi David trouvait que la loi était du côté de l'aubergiste.

Salomon donna rendez-vous cette nuit-là au tisserand dans la hutte de celui-ci, derrière le palais, afin de discuter.

Le tisserand était découragé. Assis à sa petite table de bois, il mangeait son repas du soir, des haricots bouillis.

« Salomon, qu'est-ce que je peux faire ? Je ne suis qu'un tisserand à la cour du roi. Comment puis-je espérer avoir l'argent pour payer les cent cinquante poulets que l'aubergiste réclame ? »

« Il doit y avoir un moyen de convaincre mon père que tu as raison. Mais alors lequel ? »

Soudain, Salomon eut une idée.

« J'ai trouvé ! s'exclama-t-il. La réponse est dans les haricots ! La réponse est dans les haricots bouillis ! »

Peux-tu deviner comment Salomon convainquit le roi David que le tisserand ne devait payer à l'aubergiste qu'un seul œuf dur ?

Salomon savait que, chaque matin, le roi David allait faire un tour dans le jardin. Le matin suivant, Salomon et le tisserand sortirent très tôt portant une casserole toute chaude pleine de haricots bouillis. Dès que le roi apparut, ils se mirent à les planter dans la terre, un par un. Le roi les observa avec étonnement.

« Qu'est-ce que vous comptez faire, là, exactement ? Qui a jamais vu planter des haricots bouillis ? Rien ne peut en sortir ! »

Le tisserand répondit : « S'il est possible de faire naître un poulet d'un œuf dur, alors il doit être possible de faire une récolte avec des haricots bouillis ! »

Lorsqu'il entendit ceci, le roi David fut convaincu du bon droit du tisserand. Il décida que le pauvre homme ne devait payer à l'aubergiste que le prix d'un seul et unique œuf. Le tisserand sourit et dit au roi David que c'était Salomon qui avait eu l'idée des haricots bouillis.

Depuis ce jour-là, le roi David demanda toujours conseil à son fils quand il avait une affaire difficile à résoudre et, lorsqu'il grandit, la sagesse de Salomon fut connue dans le monde entier. Peut-être cette histoire explique-t-elle le proverbe yiddish : *A kindersher saychel iz oychet a saychel* (La sagesse d'un enfant est aussi de la sagesse).

Léviathan et le renard

Léviathan est le nom hébreu d'un monstre des mers mythique qui a connu différents noms à travers les anciennes civilisations du Moyen-Orient. Il est écrit dans la Torah que, le cinquième jour, Dieu créa les poissons de la mer, grands et petits, et parmi eux Léviathan. Il y a beaucoup de légendes rabbiniques, appelées midrashim, *qui sont consacrées à cette grande et puissante créature des profondeurs. Cette histoire raconte celle d'une petite créature qui avait osé défier Léviathan : le rusé renard.*

À l'origine du monde, Léviathan, le grand monstre des mers, gouvernait toutes les créatures de la terre et des océans. Il avait plus de cent yeux et des écailles étincelantes qui brillaient plus que le soleil. Un mouvement de sa queue faisait bouillir l'océan et provoquait des vagues terrifiantes. Aucune arme sur terre ne pouvait le blesser et même les anges le craignaient. Mais il y avait une créature qui ne craignait pas Léviathan : c'était le renard. Il était petit mais il était agile et rapide. Nombreuses sont les fois où il s'échappa des pièges tendus par d'autres animaux.

Le nom de renard fut répété à travers le monde et arriva finalement aux oreilles du grand et puissant Léviathan.

Un jour, Léviathan fit venir ses sujets pour former une grande assemblée dans son palais sous-marin. Il voulait compter toutes les créatures de son empire. Des montagnes et des forêts, des lacs et des mers, les créatures arrivèrent. Le mouton, la girafe, l'aigle chauve, l'écureuil volant, la tortue et le lièvre. Ils parurent un à un devant lui. Aucun n'avait osé refuser. Pendant qu'il comptait tous ceux qui venaient, il nota qu'une créature manquait : le renard.

« Hmm..., se dit Léviathan, si cet animal a tant de courage, il peut certainement m'être utile. Je suis fort, il est vrai, mais j'aimerais être encore plus puissant. Je crois que je vais manger le cœur du renard. Ainsi je serai non seulement la plus forte de toutes les choses vivantes, mais aussi la plus courageuse. Il faut qu'on me l'apporte. »

Léviathan envoya deux de ses plus

fidèles serviteurs, l'espadon et le serran, à la recherche du renard pour l'amener dans le palais. Les deux poissons nagèrent pendant plusieurs kilomètres. Finalement, ils virent une fine silhouette qui dansait sur le bord de la plage. Comme ils n'avaient jamais vu de renard, les deux poissons s'approchèrent et demandèrent où ils pouvaient le trouver. Le danseur dit aux deux poissons : « Allez à l'endroit où l'eau rejoint la terre, vous verrez une créature charmante danser comme le vent. »

Ils s'en allaient pour le chercher lorsque le serran se mit à réfléchir : l'endroit où la terre rejoint l'eau, une créature charmante en train de danser…

« Attends un peu, dit l'espadon, on dirait que… »

« Tu as raison, dit le renard, c'est moi ! »

Les poissons invitèrent le renard au palais de Léviathan, lui disant qu'il serait traité comme l'invité d'honneur du roi. Ils le cajolèrent. « Notre roi a préparé un gigantesque festin pour toi, annoncèrent-ils, il a entendu parler de ta grande sagesse et désire te rencontrer. Il te respecte tellement qu'il t'a invité pour siéger avec lui pour toujours en tant que son plus fidèle conseiller ! Réfléchis un peu : tu n'auras plus jamais à chasser pour te trouver à manger ! »

À cette pensée, le renard fut bien sûr tenté de partir avec eux. « Mais je ne sais pas nager, dit-il, comment pourrais-je y aller ? »

« Oh, ce n'est pas un problème », dit l'espadon en souriant. « Tiens-toi sur ma nageoire et garde un pied sur la queue du serran. Tu seras en sûreté avec nous ! » Le renard fut convaincu. Il sauta sur leurs dos et ils partirent vers Léviathan.

Tandis qu'ils nageaient dans les vagues froides, le rivage s'éloignant au loin, il commença à se sentir mal à l'aise. « Eh, les poissons, leur demanda-t-il, maintenant que vous m'avez sur le dos, loin de chez moi, dites-moi la vérité. Pourquoi Léviathan tient-il tellement à me voir ? »

Les poissons tenaient le renard à leur merci et, à présent que la créature était en sûreté sur leurs dos, ils n'avaient plus rien à lui cacher. Ils lui révélèrent que leur roi Léviathan, souhaitant devenir la plus courageuse de toutes les créatures aussi bien que la plus forte, avait prévu de prendre le cœur du renard et de le manger.

« Tu ne seras pas l'invité de ce festin, gloussèrent-ils, tu en seras l'entrée ! »

Le renard trembla du bout de sa queue à l'extrémité de son museau.

« Est-ce ainsi que doit s'achever ma vie glorieuse ? » se demanda-t-il.

Si tu étais à la place du renard, pourrais-tu trouver une ruse pour te sauver ?

Le renard réfléchit rapidement. Puis ses yeux s'illuminèrent. Il s'adressa suavement aux poissons : « Mes amis, si seulement j'avais su ce que vous vouliez, j'aurais pris mon cœur avec moi ! Mais là, voyez-vous, je l'ai laissé chez moi. »

« Quoi ? hurlèrent les poissons. Tu n'as pas ton cœur ? »

« Eh non, répondit le renard. Nous, les renards, ne voyageons jamais avec nos cœurs à moins que ce ne soit pour une raison importante. Nous les laissons toujours à la maison. Et je serais vraiment désolé que vous m'ayez porté tout ce chemin jusqu'au palais de Léviathan pour qu'il découvre que vous ne lui avez pas rapporté le peu de chose qu'il vous demandait ! Ça pourrait le mettre vraiment en colère ! » Les deux poissons étaient terrifiés. Mettre Léviathan en colère, c'était bien la dernière chose qu'ils souhaitaient.

« Si vous voulez vraiment apporter mon cœur à Léviathan, continua le renard, ramenez-moi au rivage. Je serai heureux de vous l'apporter ! »

Les poissons regagnèrent rapidement le rivage, leur passager cramponné à leurs nageoires. Dès qu'ils s'approchèrent de la terre ferme, le renard sauta de leurs dos pour être hors de leur portée et se remit à danser sur la plage.

« Qu'est-ce que tu fais ? crièrent les serviteurs de Léviathan. Ce n'est pas le moment de danser. Léviathan nous attend ! Dépêche-toi de prendre ton cœur ! »

« Créatures stupides, cria le renard, comment quiconque pourrait-il voyager sans son cœur ? Comment quelque animal que ce soit vivrait-il un instant sans son cœur ? »

« Tu nous as dupés ! » gémirent l'espadon et le serran.

« Évidemment, répondit le renard. J'ai échappé à tous les pièges qui m'ont été tendus, même à ceux de l'ange de la Mort en personne ! Pensiez-vous vraiment que j'allais me faire avoir par un couple de poissons stupides ? »

Sur ce, il se remit à danser jusqu'à son repaire secret.

Les deux serviteurs de Léviathan s'en retournèrent lentement et racontèrent à leur maître ce qui s'était passé. Il écouta leur histoire et, après les avoir bruyamment réprimandés pour leur échec, il ouvrit tout grand sa gueule et les avala.

La dernière volonté du bouffon de la cour

Aux alentours de l'année 587 av. J.-C., les Babyloniens conquirent le royaume de Judée et détruisirent le magnifique temple de Jérusalem, construit par le roi Salomon.

Un grand nombre de Juifs furent emmenés à Babylone comme prisonniers. À la différence de nombreux peuples conquis, les Juifs restèrent fidèles à leur religion. Inspirés par un prophète du nom d'Ézéchiel, ils continuèrent à pratiquer leurs coutumes et à ne croire qu'en un seul Dieu.

Parmi les nombreuses personnes que les Babyloniens avaient fait prisonniers se trouvait un drôle de jeune homme qui s'appelait Zev Ben Schmuel.

Si cet esprit subtil vivait à notre époque, il serait sans doute devenu un acteur comique. Mais en ce temps-là, il devint le bouffon du roi de Babylone.

Il faisait rire les souverains pendant les fêtes et les jours saints. Il était joyeux et racontait des histoires drôles. Cependant, Zev Ben Schmuel restait fidèle à sa religion et ne s'inclinait pas devant les idoles du roi ni devant quiconque. Un jour, le commandant en chef de l'armée du roi, qui haïssait les Juifs, l'insulta dans le couloir du palais.

« Sale porc ! » cria le soldat.

Sans perdre une seconde, le bouffon tendit sa main :

« Ravi de faire votre connaissance, monsieur Sale Porc. Zev Ben Schmuel, à votre service. »

Le commandant, furieux, rapporta cette mauvaise blague au roi. Il demanda qu'on fasse exécuter sur-le-champ Zev Ben Schmuel. Le roi accepta à contrecœur.

« Mais est-ce juste ? s'exclama Zev Ben Schmuel. Après toutes les fois où je vous ai fait hurler de rire, une mauvaise blague et je suis condamné ! »

Le roi était déterminé à appliquer sa sentence. « Mais, dit-il, pour toutes les fois où tu m'as fais rire, moi et ma cour, je vais te faire une faveur : tu mourras de la façon que tu veux : de pendaison, d'empoisonnement, dévoré par des bêtes sauvages... Quoi que tu décides, nous t'obéirons. »

Le bouffon songea à son cruel destin. Il réfléchit et réfléchit. Quelle sorte de mort penses-tu que cet astucieux bouffon a choisie ? Et toi, quelle mort aurais-tu choisie ?

Il revint vers le roi et dit avec simplicité :

« De vieillesse. »

Zev Ben Schmuel, continue l'histoire, vécut jusqu'à un âge honorable et ne perdit jamais le sens de l'humour. Certains racontent qu'il était toujours en vie en 538 av. J.-C., lorsque le roi de Perse Cyrus conquit Babylone et permit aux Juifs exilés de retourner en Judée où ils rebâtirent un nouveau temple à Jérusalem.

La chose la plus précieuse

La ville de Sidon, sur la côte libanaise, était réputée pour être le joyau de la Méditerranée. La brise de la mer soufflait doucement sur les jardins parfumés et les rues pavées de la ville. Les navires de Sidon naviguaient à travers le monde et, de leur nombreux voyages, les marchands rapportaient des épices, des vêtements et des richesses de tout genre à leur port d'attache. Les grands cèdres du Liban étendaient leur ombre fraîche. Les artisans sculptaient dans les rues animées de splendides motifs sur les portails et les montants de porte qui scintillaient à la lumière du soleil radieux.

Dans cette ville légendaire, un homme et une femme s'aimaient tendrement. Ils se marièrent et vécurent heureux pendant de nombreuses années. Mais les années passaient et aucun enfant ne naissait pour bénir cette union. Ils en furent très malheureux. D'après la Loi, ils avaient le droit de demander le divorce. Chaque année, ils y songeaient. Et chaque année, ils repoussaient leur décision. Finalement le mari dit à sa femme : « Nous avons attendu longtemps, mais nous n'avons pas eu la chance d'avoir un enfant. Alors, j'ai décidé qu'il valait mieux nous séparer, car je veux vraiment en avoir un. Il faudra que tu retournes chez ton père, comme l'indique la Loi. » Sachant qu'elle ne pourrait le faire changer d'avis, la femme accepta la décision.

Le lendemain, sous un ciel nuageux, ils s'en allèrent demander conseil au rabbin Simeon Bar Yochai, qui était venu de Jérusalem, la Ville sainte, s'installer à Sidon.

Simeon Bar Yochai avait beaucoup voyagé, parfois pour étudier avec les grands professeurs, parfois pour enseigner lui-même. Il lui arrivait aussi de fuir les Romains car ils supportaient mal son esprit critique. À Sidon, il appréciait l'air chaud et la brise de la mer et il était heureux d'aider tous ceux qui lui demandaient conseil ou assistance.

Lorsque le couple arriva à sa porte, Bar Yochai sortit deux chaises, les installa dans la petite cour, devant sa maison, et attendit qu'ils commencent.

« Rabbin, dit le mari, ma femme et moi, nous avons vécu très heureux pendant plus de dix ans, mais nous n'avons pas eu la chance d'avoir des enfants. Maintenant, ainsi que l'autorise la Loi, j'ai décidé qu'elle devrait retourner vivre chez son père. S'il vous plaît, accordez-nous le divorce, afin que nous nous séparions dans l'honneur et la dignité. »

Le rabbin Bar Yochai les observa pendant un long moment et leur dit : « Mes enfants, cette séparation m'attriste, mais comme la Loi l'autorise, je vous donne ma permission. Je ne vous demande qu'une chose : avant de vous quitter, faites une fête tous les deux. De même que vous vous êtes réjouis lors de votre mariage, vous devriez fêter l'heure du départ. » Ils acceptèrent sa condition.

Rentrant tristement chez eux, ils se préparèrent à prendre congé l'un de l'autre.

Dans la rue pavée, tandis qu'ils marchaient, le mari se tourna vers sa femme et lui dit : « Ma chère femme, tu m'as été fidèle et loyale. Il ne faut pas que tu partes les mains vides chez ton père. Quand tu t'en iras, tu prendras un cadeau. Regarde bien tout ce que nous possédons et prends dans notre maison ce qui est la chose la plus précieuse à tes yeux. »

La femme n'avait pas envie de quitter son mari. Elle savait aussi qu'au fond, lui non plus n'en avait pas envie.

Que pouvait-elle faire pour qu'il change d'avis ?

Cet après-midi-là, elle fit son marché et remplit son panier de dattes, d'amandes, de grenades, d'épices, et des mets les plus délicats. Elle sortit de la cave des bouteilles de leur meilleur vin, fait avec les raisins les plus doux des vignobles de Sidon. Tandis que le soir tombait, elle dressa la table comme pour le shabbat. Son mari vint manger. Chaque fois que son verre était vide, elle le remplissait à ras bord. « C'est le dernier repas que nous passerons ensemble, lui dit-elle, apprécions-le jusqu'à la dernière miette de pain et jusqu'à la dernière goutte de vin. »

Son mari continua de manger et de boire, mais elle ne toucha presque à rien. Le soleil s'était couché et la lune commençait à briller lorsque son mari, soûl et repu, glissa dans un sommeil profond.

Aussitôt, elle appela une de ses servantes. Toutes deux, elles le portèrent dans leur charrette. Pendant qu'il dormait sur la paille, ils roulèrent jusqu'à la maison de son père. Là encore, la servante l'aida à le porter dans un lit en bois. Lorsque l'aurore pointa, le mari sortit de son sommeil et regarda autour de lui. Il ne reconnaissait rien. Puis il vit sa femme qui se tenait près du lit.

« Où suis-je ? demanda-t-il. Qu'est-ce que je fais là ? »

« Tu ne te rappelles plus ta promesse ? dit-elle. Tu m'as dit qu'avant de nous séparer, je pourrais emporter chez mon père la chose la plus précieuse de notre foyer. Eh bien, voilà où tu es : sous le toit de mon père. J'ai bien regardé tout ce que nous possédions mais je n'ai rien trouvé d'aussi précieux que toi. »

Lorsqu'il entendit ces paroles, le mari sourit et dit :

« Tu as été sage, et j'ai été idiot. Retournons à la maison et continuons à vivre comme nous avons toujours vécu, heureux et contents d'être ensemble. »

Et il en fut ainsi durant de nombreuses années. Ils vécurent et travaillèrent ensemble sous le ciel ensoleillé de Sidon. Le midrash raconte que lorsque Simeon Bar Yochai entendit la nouvelle, il alla prier pour eux et que, peu de temps après, l'enfant tant espéré naquit. Mais ceci est une autre histoire...

Benjamin et le calife

Il était une fois un calife qui eut l'idée d'un plan très méchant pour se débarrasser de tous les Juifs de son royaume ainsi que de tous ceux qui oseraient en franchir les portes.

Il dit à ses soldats : « Chaque fois qu'un Juif franchit une des portes du royaume, il doit être arrêté ! Demandez-lui de nous raconter quelque chose à propos de lui-même. S'il ment, amenez-le au billot et décapitez-le. S'il dit la vérité, amenez-le à l'échafaud et pendez-le ! Aucun Juif ne survivra dans mon royaume ! »

En ce temps-là, au Maroc, vivait un jeune marchand, grand, beau et intelligent. Il s'appelait Benjamin. Il avait décidé de faire du commerce dans le royaume du calife. Son rabbin et les anciens de son village tentèrent de l'en dissuader. Ils savaient combien le calife était cruel. Mais on ne pouvait jamais dissuader Benjamin de se lancer dans une aventure. Il attela ses mules et partit pour un long voyage vers le royaume du calife. Lorsqu'il arriva à ses portes, les soldats voulurent connaître son identité :

« Je suis un Juif du Maroc. Un représentant de commerce », leur répondit-il.

« Nous devons, par ordre du calife, vous poser quelques questions. Racontez-nous quelque chose à propos de vous, dirent-ils en ricanant. Si ce que vous racontez est vrai, vous serez pendu, mais si c'est un mensonge, alors nous vous décapiterons ! »

Il n'était plus temps pour Benjamin de regretter d'avoir entrepris ce voyage fatal. Il devait réfléchir très vite.

« Si je dis la vérité, songea-t-il, je suis pendu, mais si je mens, ils me coupent la tête ! Je ne vois vraiment pas comment je pourrais m'en sortir. » Puis il hésita, sourit et commença à parler.

Peux-tu deviner comment ce rusé voyageur échappa à son destin ?

Benjamin, le marchand, eut une inspiration soudaine. Il leur cria : « Aujourd'hui, vous me décapiterez ! »

Lorsque le calife entendit sa réponse, il s'esclaffa bruyamment et cria à ses hommes :

« Oui, aiguisez les cimeterres et les sabres ! Préparez le billot ! Aujourd'hui, tu perds ta tête ! »

« Mais, honorable calife, dit Benjamin, si vous me décapitez, j'aurai donc dit la vérité… »

« Oui, bien sûr », dit le calife.

« Or, si j'ai dit la vérité, je devrai être pendu… »

« En effet, dit le calife. Soldats, remettez vos épées dans leurs étuis. Bourreau, prends ta corde. » Ricanant de mépris, il se dit : « Est-ce que cet homme pense vraiment que cela m'importe de savoir si je dois le pendre ou le décapiter ? »

« Par ici, cria-t-il, c'est là que nous pendons nos prisonniers. »

Benjamin jeta un coup d'œil sur le bourreau qui préparait la corde sur l'échafaud. « Mais sire, dit-il, si vous me pendez, c'est donc que j'ai dit un mensonge ! »

Benjamin avait trouvé le point faible du plan machiavélique du calife.

« Bien sûr, cria le calife, crois-tu que je n'ai pas de cervelle ? »

« Mais si j'ai dit un mensonge, alors je devrai être décapité ! »

« Bien sûr : tu as dit un mensonge, alors nous allons te faire sauter la tête ! » dit le calife.

« Ahah ! cria Benjamin. Mais alors vous avez un problème : vous ne pouvez ni me pendre, ni me décapiter ! »

Le calife se gratta la tête en songeant : « En effet, c'est une affaire délicate. Cet homme, ce soi-disant Benjamin, pénètre dans mon royaume et dit : "Aujourd'hui, vous me décapiterez." Mais si je lui coupe la tête, c'est qu'il a dit la vérité, donc il devrait être pendu. Mais si je le pends, c'est donc qu'il a dit un mensonge, alors il devrait être décapité... Je ne peux donc pas le pendre et certainement pas le décapiter ! »

Le calife était dans la confusion la plus totale. Quoi qu'il décidât, ses soldats sauraient bien qu'il avait fait le mauvais choix. « Alors, pensa-t-il, je n'ai d'autre solution que de laisser ce démon s'en aller. »

Benjamin, le marchand, prit ses jambes à son cou. Il était heureux d'être en vie et se dit que ce n'était pas le moment idéal pour chercher fortune au royaume du calife.

Quand tu joues à pile ou face pour décider de quelque chose, tu n'as jamais pensé à dire : « Face, je gagne ; pile, tu perds » ?

En jouant avec la logique de cette manière, tu es sûr de gagner. La ruse que Benjamin employa pour s'échapper a la même logique que cette ancienne devinette : Si un Crétois dit : « Les Crétois sont des menteurs », est-ce qu'il ment ?...

La princesse dans le miroir

On raconte qu'autrefois, sur la terre d'Israël, vivait une ravissante princesse, aux traits délicats. Elle avait d'abondants cheveux noirs en cascade et un merveilleux sourire. Parmi les nombreux jeunes gens qui étaient éperdument amoureux d'elle, il y avait trois frères, tous très charmants. Elle les invitait souvent dans le jardin du palais, où ils la régalaient de chansons et lui racontaient des histoires de magie et d'aventure.

Lorsque vint le temps pour elle de se marier, il était clair que ce ne serait avec personne d'autre que l'un de ces frères très charmants : mais lequel ? Se rappelant les contes de fées qu'ils lui avaient racontés, elle décida de leur faire passer une épreuve. Celui qui rapporterait le cadeau le plus merveilleux, un présent qu'elle estimerait par-dessus tout, aurait sa main.

Les trois frères, qui étaient les meilleurs amis du monde, discutèrent entre eux. Ils savaient que l'un d'eux seulement gagnerait sa main. Ils se souhaitèrent bonne chance et décidèrent de se retrouver avant d'aller présenter leurs cadeaux à la princesse.

Les frères partirent. Ils parcoururent le monde. L'un d'eux alla en Asie. Il traversa de nombreuses villes étranges et merveilleuses. Il chercha dans les petites rues et les bazars, ébloui par les vêtements de soie, de satin, et par les tapisseries tendues dans les marchés. Mais il ne trouva rien qui puisse conquérir à coup sûr le cœur de la princesse. C'est alors qu'un vieil homme lui montra un tapis magique qui le transporterait où bon lui semble. Il en paya immédiatement le prix et il s'en retourna.

L'aîné partit pour l'Égypte, où il fit la connaissance d'un magicien qui avait jadis travaillé pour les pharaons. « Il y a beaucoup de merveilles en Égypte, dit le magicien, mais aucune n'est aussi fantastique que celle que je peux te montrer. » Il lui présenta un miroir. « Ce n'est pas un miroir ordinaire. Pense à un endroit que tu aimerais contempler et regarde dedans. » L'aîné regarda. Au lieu de son visage, il vit une terre qu'il avait entrevue dans ses rêves. Il n'avait jamais espéré pouvoir la contempler un jour. « Cela plaira sûrement à la princesse plus que toute autre chose », pensa-t-il. Alors il acheta le miroir magique et prit le chemin du retour.

Le cadet voyagea à travers les terres d'Arabie, jusqu'aux magnifiques vergers de Babylone, là où on raconte que se trouvait jadis le jardin d'Éden. Les fruits magiques abondaient sur cette terre et pouvaient vous rendre grand, fort ou riche. Il rencontra un fermier qui labourait la terre à l'endroit où l'on disait qu'Adam et Ève avaient vécu. Le frère lui parla de la belle princesse.

Le fermier l'emmena dans un coin de sa ferme où, à un adorable petit arbre, pendait une seule pomme. « Ceci, lui dit le fermier, est une pomme qui jadis poussa dans le jardin d'Éden. Elle est restée intacte depuis ce temps et elle n'a été corrompue ni par le serpent, ni par Adam et Ève lorsqu'ils mordirent dans la pomme du péché. Cette pomme peut soigner n'importe quelle maladie. Mais prends garde : choisis bien le moment de t'en servir, car son pouvoir magique ne marchera qu'une seule fois. » Le cadet offrit au fermier toute sa fortune en échange de ce fruit. Le fermier le considéra avec attention. « La pomme ne peut soigner qu'une seule personne, pensa-t-il, alors que sa fortune rendrait riche toute ma famille... »

Lorsque le cadet s'en alla, il avait la pomme magique en sûreté dans sa sacoche.

Les trois frères se retrouvèrent chez eux. Ils se montrèrent leurs trouvailles et se racontèrent leurs aventures. Ils se souhaitèrent encore bonne chance, sachant qu'un seul d'entre eux serait choisi par la princesse. C'est alors que le cadet eut l'idée d'essayer le miroir magique.

« Pour quoi faire ? Qu'est-ce que tu veux voir ? » demanda l'aîné.

« Essayons de savoir où est la princesse », dit le cadet.

Lorsqu'ils regardèrent dans le miroir magique, ils virent la princesse, mais elle était toute pâle et maigre et elle avait l'air très faible. Une foule en pleurs constituée des membres de sa famille faisait cercle autour d'elle. Les larmes coulèrent sur les joues des trois frères. Leur grand amour se mourait.

Le deuxième frère pensa à son cadeau. Ils montèrent en vitesse sur le tapis magique, qui les emporta à travers le royaume jusqu'au palais où était couchée la princesse. Lorsqu'ils arrivèrent au pied de son lit, le cadet sortit la pomme magique de son sac. « Tiens, dit-il, cela va te faire du bien. »

La princesse mordit dans la pomme et, comme par enchantement, ils virent la couleur revenir à son visage, le rouge à ses joues. Les trois frères et sa famille louèrent le Seigneur. Elle se releva dans son lit : elle était guérie.

Le lendemain, la princesse se sentait si bien qu'elle sortit dans le jardin. Et chacun des trois frères lui raconta comment il lui avait sauvé la vie. L'aîné lui dit qu'il avait découvert le miroir magique. Sans lui, ils n'auraient jamais su qu'elle se mourait. Le deuxième frère lui raconta comment il avait fini par trouver le tapis magique dans un marché en Asie. Sans lui, dit-il, ils n'auraient jamais pu arriver à temps au pied de son lit. Puis le cadet lui raconta qu'il avait rencontré un fermier là où jadis se tenait le jardin d'Éden. Il lui rapporta l'histoire de la pomme magique et comment son pouvoir merveilleux l'avait soigné. Sans elle, elle aurait sûrement rendu l'âme.

Alors l'aîné lui demanda à qui elle allait accorder sa main.

Si tu étais cette belle princesse, qui choisirais-tu ?

La princesse retourna dans sa chambre et considéra l'offre de ces trois beaux soupirants. Elle les aimait tous, mais elle ne pouvait se marier qu'à l'un d'entre eux. Lorsqu'elle revint, elle embrassa l'aîné et le remercia de lui avoir sauvé la vie grâce au miroir magique. Puis elle prit dans ses bras le deuxième frère et le remercia pour le tapis magique qui lui avait aussi sauvé la vie. Puis elle regarda le cadet droit dans les yeux et lui dit : « C'est toi que j'ai choisi. Car le miroir magique est magique aussi souvent que l'on en a besoin. Le tapis peut faire voler n'importe qui. Mais la pomme ne peut être utilisée qu'une seule fois. Tu aurais pu la garder pour toi, le jour où tu en aurais eu besoin, mais tu me l'as donnée. » Alors la ravissante princesse embrassa le cadet. Bientôt, ils furent mariés et ils vécurent très heureux, se racontant des histoires jusqu'à la fin de leurs jours.

Qu'est-ce que le Talmud ?

Le rabbin Meir de Rothenberg était assis à son bureau et étudiait les Livres saints. La lumière matinale filtrait par la fenêtre, projetant une lumière dorée sur les hautes bibliothèques de bois ainsi que sur les volumes reliés de cuir qui couvraient les murs de sa chambre. Tandis qu'il méditait sur le sens des mots qui se déroulaient devant ses yeux, il entendit frapper à la porte.

« Qui est là ? » demanda-t-il, et il sourit en entendant la réponse. C'était sa plus jeune fille, Rachel, qui venait lui faire une visite matinale.

Le rabbin Meir se retourna tandis que la jeune fille courait dans ses bras pour l'embrasser. Rachel était une enfant étonnante. Elle était intelligente et vive, et faisait preuve de sagesse avant l'âge. Elle avait appris toute seule à lire l'hébreu et l'araméen – il n'était pas habituel que des jeunes filles étudient la Torah en ce temps-là. Elle connaissait toutes les prières des jours de la semaine, du shabbat et des jours saints. Elle pouvait réciter de mémoire des passages entiers de la Torah. Mais Rachel savait, de même que tous les enfants de sa famille, que les difficultés les plus grandes se trouvaient dans l'étude du Talmud. Elle voulait à tout prix se joindre à son père dans cette étude mais les filles n'avaient presque jamais cette possibilité.

Se tenant près de la chaise du rabbin

Meir, elle lui demanda : « Père, dis-moi, comment on étudie le Talmud ? »

Dans le calme de la chambre d'étude, il répondit :

« Le Talmud est très difficile à étudier. Il faut non seulement lire et mémoriser, mais il faut aussi réfléchir. »

« S'il te plaît, père, supplia Rachel, laisse-moi essayer ! »

« Très bien, ma fille. Je vais te donner une leçon. Maintenant, écoute-moi bien. Deux hommes qui travaillaient sur le sommet d'un toit tombèrent par la cheminée. Quand ils atterrirent, l'un d'eux avait la figure propre et l'autre la figure sale. Lequel alla se laver la figure ? »

La réponse à cette question peut sembler évidente, mais l'est-elle vraiment ? Qu'en penses-tu ?

Rachel se mit à réfléchir. Le sale, bien sûr. Tout le monde se lave la figure quand elle est sale, non ?

Mais alors une autre pensée lui traversa l'esprit et elle dit avec excitation : « Je sais, père. C'est celui qui avait la figure propre qui est allé se laver ! »

« Et comment sais-tu que c'est la bonne réponse ? » dit le rabbin Meir.

Sûre d'elle, à présent, Rachel répondit :

« C'est parce qu'il a regardé la figure sale de son ami, alors il s'est dit que lui aussi devait être sale, alors que celui qui était sale a vu la figure de son ami et il s'est dit que la sienne devait être propre ! »

Le rabbin Meir sourit à sa fille :

« C'est un bon raisonnement, mon enfant, dit-il, mais pour étudier le Talmud, il faut te creuser un peu plus la tête… »

« Pourquoi, père ? »

« Parce que », dit Meir en lui caressant les cheveux, « si deux hommes tombent dans une cheminée, comment est-il possible qu'un seul d'entre eux ait la figure sale ? » Le visage de Rachel s'assombrit lorsqu'elle entendit la réponse, mais son père la consola : « Tu t'es très bien débrouillée. Toujours chercher la question derrière la question. C'est ainsi que nous étudions le Talmud. »

Avec cette idée à méditer, Rachel retourna à sa lecture du jour. Son père, le rabbin Meir, l'érudit, retourna au passage difficile du Talmud qu'il avait sous les yeux, pour l'étudier.

Hershel et le gentilhomme

Hershel était soucieux. Vivre en Ukraine n'avait jamais été facile, surtout pour un pauvre Juif qui devait nourrir et vêtir femme et enfants. Mais cette année-là, la situation semblait plus grave que jamais. Ses amis et connaissances d'Ostropol – et même les plus riches – avaient très peu d'argent à dépenser et de nourriture à se partager.

Chez lui, ses enfants avaient faim et sa femme se plaignait amèrement.

« Hershel, disait-elle, pourquoi ne vas-tu pas chercher du travail ? Fais quelque chose pour nous aider ou, d'ici peu, nous n'aurons plus de toit au-dessus de nos têtes ! »

Hershel était désespéré.

Un jour, par hasard, il entendit sur la place du marché parler d'un gentilhomme qui possédait une propriété à la campagne et qui cherchait un cuisinier. Hershel n'avait jamais cuisiné de sa vie mais ceci ne l'arrêta point. Il alla aussitôt lui rendre visite.

Lorsqu'il atteignit la propriété, le gentilhomme le regarda avec attention et décida de l'engager. « Mais souviens-toi, dit-il, j'attends une probité absolue de la part de mes serviteurs. Une seule faute et tu es bon pour la prison ! »

Hershel accepta et se dirigea vers la cuisine. Le premier plat qu'il devait préparer était une oie rôtie. Le gentilhomme avait des invités, ce soir-là, et il voulait qu'ils soient bien servis.

« Une oie, pensa Hershel, je peux sans doute préparer une oie. J'ai bien vu ma femme mettre un poulet décharné au four, lorsque nous avions la chance d'en trouver un. Ce ne doit pas être tellement différent de faire rôtir une oie. »

Hershel pluma l'oie, vida les gésiers et mit un peu de sel et du persil avant de la mettre au four. Tandis qu'elle rôtissait dans son plat, une odeur délicieuse se propagea dans la cuisine. Bientôt, elle emplit la pièce. Quand il retira l'oie délectable du four, il était harcelé par de terribles tiraillements d'estomac.

Hershel essaya de se contrôler mais il n'avait pas mangé un repas complet depuis des semaines ! Dès qu'il posa l'oie sur la table, il découpa l'un de ses pilons et le mangea, en dégustant chaque miette.

Plus tard, dans la soirée, lorsque le dîner fut servi, le gentilhomme remarqua que l'une des pattes de l'oie manquait. Il fit venir son nouveau cuisinier.

Hershel savait que son emploi et peut-être même sa liberté étaient en jeu. Il s'expliqua avec précaution : « Messire, se pourrait-il que cette oie n'ait eu en réalité qu'une seule patte ? »
« Ridicule ! répondit le gentilhomme, il n'existe pas d'oiseau à une patte ! J'ai bien envie de t'envoyer en prison pour mensonge et pour vol ! »

« S'il vous plaît, messire, dit Hershel, donnez-moi une chance de vous prouver que j'ai raison. Accordez-moi un délai afin que je vous démontre mon innocence. Si je ne réussis pas à vous convaincre, vous pourrez me punir comme bon vous semble. »

« Je te donne vingt-quatre heures, dit le gentilhomme. Et maintenant, file ! »

Évidemment, Hershel ne pouvait pas raconter au gentilhomme ce qui était réellement arrivé à la patte de l'oie s'il ne voulait pas s'attirer encore plus d'ennuis. Comment Hershel pouvait-il se sortir de ce pétrin ?

Hershel tourna en rond toute la nuit, se creusant la tête pour essayer de trouver une solution, mais aucune ne se présentait.

Finalement, juste avant que l'aurore pointe, il eut une idée. Le jour venu, Hershel invita le gentilhomme à l'accompagner à la chasse. Pendant qu'ils marchaient sur la route qui traversait la propriété, ils virent une cigogne debout sur un pied, au bord de la rivière.

« Regardez ! » dit Hershel, car c'était le moment qu'il attendait. « Je vous avais bien dit qu'il y avait des oiseaux à une patte ! »

Aussitôt, le gentilhomme tapa dans ses mains et cria. La cigogne s'envola, ses deux pattes bien visibles.

« Hershel, tu t'es trompé. Cet oiseau avait deux pattes. Je vais te jeter en prison ! »

Hershel garda son calme et répondit tranquillement :

« Ahah ! Mais si vous aviez tapé dans vos mains et crié à l'oie rôtie, vous auriez aussi vu son autre patte ! »

En entendant cela, le gentilhomme éclata de rire. Il était tellement content de la réponse d'Hershel qu'au lieu de l'envoyer en prison, il le renvoya chez lui avec une autre oie rôtie pour lui et sa famille. Hershel ne prépara plus jamais de repas pour le gentilhomme mais ils restèrent bons amis pendant de nombreuses années. On raconte que l'histoire d'Hershel et de la patte de l'oie devint le récit favori du peuple d'Ostropol.

Les sages fous de Chelm

Chelm est une ville de Pologne, qui tient une place à part dans le folklore juif. Les Chelmites étaient célèbres pour leur sagesse absurde. À Chelm, la sagesse était sens dessus dessous. Par exemple, pour les Chelmites, rien ne représentait plus la sagesse qu'une longue barbe. Un jour, un Chelmite au visage imberbe était venu voir le rabbin sage et barbu pour lui demander pourquoi il n'arrivait pas à se faire pousser la barbe. Le rabbin répondit que c'était juste une question d'hérédité.

« Si ton père n'a pas réussi à se faire

pousser la barbe, toi non plus tu ne pourras pas. »

« Mais, dit le Chelmite à la peau de pêche, mon père avait une barbe ! »

« Ahah ! dit le rabbin, alors il faut que tu regardes du côté de ta mère... »

Le Chelmite s'en alla, tout sourire.

Le rabbin avait parfaitement raison : sa mère n'avait jamais eu de barbe. Et il put ainsi apprécier la folle sagesse de Chelm.

Il était une fois, à Chelm, un sage fou du nom de Schmuel qui était friand de devinettes et d'histoires de toutes sortes.

Un jour, pendant qu'il était dans la ville de Berditchev, il s'arrêta à la Schüle – synagogue – pour rendre visite au shammes – gardien – qui était une source d'histoires et de contes infinie. Il ne fut pas déçu de cette visite. Le shammes de Berditchev lui demanda de méditer sur cette devinette :

« Je suis le fils de mon père, mais je ne suis pas mon frère. Qui suis-je ? »

Quelle merveilleuse devinette !

Schmuel se passa la main dans sa longue barbe taillée en épi et fronça les sourcils. Il se répéta la question à haute voix encore et encore comme si cela pouvait l'acheminer de ses oreilles jusqu'à la direction générale de son cerveau. « Je suis le fils de mon père, mais je ne suis pas mon frère. Je suis le fils de mon père, mais je ne suis pas mon frère. Je suis le fils de mon père, mais je ne suis pas mon frère. »

Peux-tu trouver la réponse à cette devinette ?

« Tu ne trouves pas ? » dit le gardien de Berditchev. « Eh bien, c'est moi ! Tu vois, je suis le fils de mon père, mais je ne suis pas mon frère. »

Comme il n'avait pas résolu cette devinette, Schmuel fut très impressionné. Il se dépêcha de revenir à Chelm en contenant avec peine son excitation à l'idée de rapporter la nouvelle devinette aux sages fous de Chelm.

Dès qu'il fut de retour à la ville, il se dépêcha d'aller chez ses amis chelmites. Il leur demanda : « Je suis le fils de mon père, mais je ne suis pas mon frère, qui suis-je ? »

Un Chelmite répondit : « C'est le fils de son père, mais ce n'est pas son frère. » Puis ils reprirent en chœur la devinette, se posant la question indéfiniment. La synagogue était remplie de perplexité. « Je suis le fils de mon père, mais je ne suis pas mon frère. Je suis le fils de mon père, mais je ne suis pas mon frère. Je suis le fils de mon père, mais je ne suis pas mon frère. »

Enfin, presque à l'unisson, ils regardèrent Schmuel et dirent :

« Nous abandonnons. Qui est-ce ? »

« Eh bien, c'est évident, voyons ! C'est le shammes de Berditchev ! »

« Le shammes de Berditchev ? » crièrent-ils.

« Eh bien oui… c'est lui qui me l'a dit ! » dit Schmuel.

Le cocher astucieux

Le Grand Maggid de Lublin faisait partie des plus célèbres orateurs de toute la Russie. Il connaissait presque tout ce qu'il fallait connaître de la Torah et de la vie religieuse. Il voyageait de ville en ville pour faire des sermons et pour répondre aux questions des gens. C'était l'un des hommes les plus érudits de son temps, et il était admiré de tous et particulièrement de son cocher, qui le conduisait de ville en ville.

Après de nombreuses années à voyager ensemble, le cocher, qui avait appris par cœur les sermons du rabbin, lui dit :

« Je vous ai écouté pendant presque vingt ans. Je crois bien que je pourrais réciter vos sermons dans mon sommeil. J'aimerais bien changer de place avec vous, juste une fois. J'aimerais m'habiller avec vos vêtements et jouer le rôle du sage Maggid pour une journée. Demain, nous allons dans une ville où nous ne sommes encore jamais allés. Pourquoi ne pas intervertir nos places ? Je serai le Maggid érudit. Je porterai votre chapeau large et votre cafetan, et vous vous habillerez en cocher. Qui donc s'en apercevra ? »

« Et s'ils te posent des questions ? » demanda le Grand Maggid de Lublin.

« Nous voyageons ensemble depuis vingt ans. Je leur répondrai exactement comme vous le feriez. »

Le Maggid avait grand cœur et un

grand sens de l'humour, alors il accepta. Ils échangèrent leurs vêtements et lorsqu'ils arrivèrent à la ville, le cocher fit un sermon digne de ceux du Grand Maggid.

Et, à l'extérieur de la petite synagogue, le Maggid nourrissait les chevaux et entendait par la porte ouverte son propre sermon déclamé.

Puis, l'assemblée se mit à poser des questions. Une par une, le cocher y répondit aisément. Dehors, le Maggid, vêtu des vêtements du cocher, entendit les réponses et sourit dans son for intérieur. Son cocher avait bien tout retenu. C'est alors qu'un élève studieux de la Yeshiva leva la main et posa une question que personne n'avait jamais posée. Le cocher n'en connaissait pas la réponse. Il y eut un moment de silence.

Dehors, le Grand Maggid marmonnait : « Mon bon cocher est dans le pétrin, à présent. »

Peux-tu imaginer ce que répondit l'astucieux cocher ? Comment te serais-tu tiré d'embarras ?

« Ahah ! » cria le cocher revêtu des vêtements du Grand Maggid. Puis de sa voix la plus imposante, il dit : « Je n'arrive pas à croire que ce jeune homme ait choisi de me poser une question aussi simple. Tenez, même mon cocher, qui est dehors sur la carriole, un dur travailleur qui n'a jamais mis les pieds dans une école religieuse ou dans une yeshiva, pourrait y répondre. » « Mon brave », dit-il pour appeler son cocher, « venez par ici et répondez à cette question simplissime ! »

Et bien sûr, le Grand Maggid de Lublin y répondit à la perfection.

Un oiseau dans la main

En marchant dans les rues de Brême dans les années trente, on pouvait voir facilement les signes de la marée de haine qui montait en Allemagne.

Partout, on croisait des soldats en uniforme marron, membres du nouveau Parti national socialiste (nazi), dirigé par Adolf Hitler.

Des croix gammées étaient peintes sur les murs et les soldats les portaient sur leurs chemises. Des enfants malveillants les peignaient sur les synagogues.

Les adolescents faisant partie des détestables brigades des jeunesses hitlériennes marchaient au célèbre pas de l'oie, levant la jambe avec raideur.

Jusque-là, la plupart des juifs s'en sortaient bien, en Allemagne, et se considéraient même comme plus allemands que juifs. Mais tout cela était en train de changer...

Lors d'un après-midi grisâtre, un rabbin marchait dans la ville, où tout allait en empirant. Il était rempli de tristesse en voyant se profiler l'avenir de son pays.

Il espérait que la jeune génération se détournerait du mouvement nazi qui se propageait. Il vit deux jeunes gens dans un terrain vague, vêtus de ces épouvantables uniformes marron.

Le rabbin pouvait voir une cruauté

espiègle dans leurs yeux tandis qu'ils s'approchaient de lui. L'un d'eux avait les mains écorchées et tenait quelque chose précautionneusement, quelque chose qui remuait et se tournait dans tous les sens, se débattant pour s'échapper.

« D'après vous, qu'est-ce que j'ai dans mes mains ? » glapit le jeune homme.

Le rabbin jeta un coup d'œil aux mains tremblantes du garçon des jeunesses hitlériennes. Il vit une aile qui remuait doucement entre ses doigts nerveux.

« Il est facile de voir que tu as un petit oiseau effarouché coincé entre tes doigts », dit le rabbin.

« Oui », dit le jeune Germain, les lèvres tremblantes de colère et de mépris : « Mais l'oiseau est-il vivant ou mort ? Donne-nous la bonne réponse et nous ne te ferons pas de mal, ni à toi, ni à ta synagogue. »

Si le rabbin disait qu'il était mort, il relâcherait l'oiseau. Mais le rabbin savait que s'il disait qu'il était vivant, il le tuerait certainement. Dans les deux cas, des exactions allaient se faire contre lui et son peuple, et ils en seraient tenus pour responsables !

Le rabbin vit la longue histoire du peuple juif défiler devant ses yeux.

Combien de fois, à travers l'histoire, avaient-ils été confrontés à des situations sans issue ?

Il était obligé de choisir entre deux solutions qui lui seraient fatales. Et tout comme les Juifs et les Juives qui avaient fait face au Grand Inquisiteur ou aux soldats du calife, le rabbin semblait n'avoir aucun moyen de se sortir de là.

Comment aurais-tu répondu à la cruelle question du jeune persécuteur ?

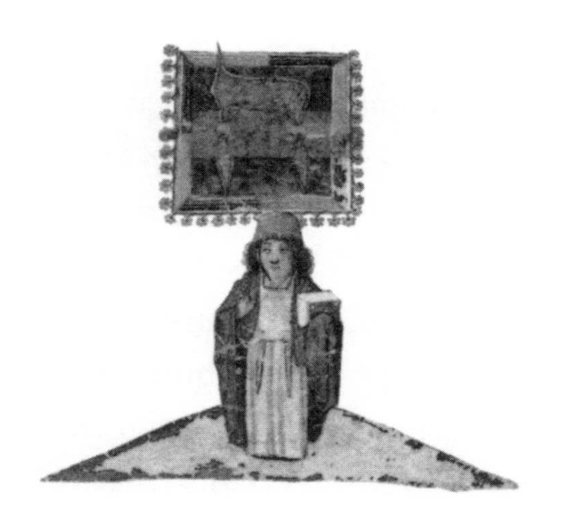

Lorsque le jeune garçon avait demandé si l'oiseau était vivant ou mort, on aurait pu répondre : « L'oiseau est mort. » Au moins, la vie de l'oiseau aurait été sauvée, même si cela ne faisait qu'encourager les jeunes gens dans leur méchanceté.

Mais le sage regarda tout droit dans les yeux du garçon :

« Tu demandes si l'oiseau est vivant ou mort, dit-il, la réponse est dans tes mains, la réponse est dans tes mains... »

La réponse était entre leurs mains. Peu de temps après, bon nombre de jeunes Allemands se joignirent aux armées d'Hitler. Certains participèrent à l'holocauste qui s'ensuivit, où les deux tiers des juifs européens furent tués. Mais il y eut aussi certains Allemands qui sauvèrent des juifs héroïquement. La réponse était entre les mains de chaque individu, et il est entre nos mains de traiter les êtres humains et tous les êtres vivants avec bonté.

Hillel, le sage

Il était une fois un jeune courtisan au palais du roi Hérode qui fit le pari avec ses amis qu'il pouvait mettre en colère le rabbin Hillel. Il avait entendu parler de lui et voulait voir s'il était aussi sage et patient que tout le monde le prétendait. Le lendemain, il alla à l'endroit où Hillel enseignait la Torah.

« Rabbin, rabbin ! » cria-t-il, interrompant le cours. « Pourquoi est-ce que les Babyloniens ont des têtes rondes ? »

Hillel se tourna vers lui et répondit :

« C'est parce que leurs sages-femmes

ne se sont pas bien entraînées. » Le jeune homme s'en alla.

Mais le lendemain, il revint de nouveau et cria au milieu d'un débat sur la Loi : « Rabbin, rabbin, pourquoi les Égyptiens ont-ils les pieds plats ? » Et Hillel répondit : « C'est parce qu'ils marchent des kilomètres le long du Nil. » Puis il retourna tranquillement à ses élèves.

« Attendez, rabbin, j'ai une autre question pour vous ! » hurla le jeune homme. Hillel parla doucement : « Posez-la, mon ami, j'essaierai d'y répondre. »

« Pourquoi les Numidiens ont-ils les yeux si fragiles ? »

« C'est sûrement à cause du vent qui souffle sur leurs terres, répondit le rabbin, le sable doit s'infiltrer dans leurs yeux. »

Et sur ce, il retourna paisiblement à sa discussion.

Mais le courtisan d'Hérode n'avait pas l'intention d'abandonner. Il avait parié quatre cents zuzim avec ses amis qu'il mettrait Hillel en colère et il ne voulait pas perdre son pari. Il resta éveillé toute la nuit jusqu'à ce qu'il trouve un plan.

Le jour suivant, il entra en trombe par la porte de la salle d'étude, se planta devant Hillel, et se mit à sauter d'un pied sur l'autre en disant : « Rabbin, rabbin, peux-tu m'apprendre toute la Torah pendant que je me tiens sur un pied ? »

Les étudiants d'Hillel détachèrent le regard du texte qu'ils devaient lire et fixèrent le jeune homme. Il avait l'air d'une cigogne qui battait des ailes et qui poussait des cris rauques, à force de sauter d'un pied sur l'autre et de répéter la question encore et encore. Ils se murmurèrent l'un à l'autre : « Nous étudions la Torah jour et nuit, comment Hillel pourrait-il lui donner une réponse en quelques mots ? »

Si tu étais le rabbin Hillel, qu'aurais-tu répondu ?

Le rabbin fut imperturbable. Il regarda le jeune homme droit dans les yeux et dit : « Ce que tu n'aimes pas en toi-même, ne le fais pas subir à ton entourage. C'est le contenu de la Torah. Le reste, ce ne sont que des commentaires. Maintenant, va et étudie cela. »

Le jeune courtisan ne bougea pas d'un pouce. Puis il dit à Hillel : « J'espère qu'il n'y en a pas d'autres comme vous, sur la terre d'Israël. »

« Pourquoi cela ? » demanda Hillel.

Et le courtisan répondit, vexé :

« Parce qu'à cause de vous, j'ai perdu un pari de quatre cents zuzim ! »

Hillel sourit dans sa barbe et dit :

« Mon ami, il vaut mieux que vous

ayez perdu un pari plutôt que moi, je perde mon calme. »

Le jeune homme retourna à la cour du roi Hérode et il est difficile de dire ce qu'il advint de lui. Par contre, depuis ce jour, on se rappelle bien les mots d'Hillel, le sage.

La phrase « Debout sur un pied » est devenu un proverbe yiddish : *Af eyn fus* et hébreu : *Al regel achat.* Comme dans cette histoire, cela signifie faire quelque chose très vite ou bien faire quelque chose de long et compliqué en un temps très court.

Épilogue

Le Baal Shem Tov (Maître du Bon Nom) fut le fondateur et le dirigeant spirituel du hassidisme en Europe de l'Est.

On raconte que lorsqu'il avait un problème difficile à résoudre, il allait à un certain endroit dans la forêt. Là, il allumait un feu et prononçait une prière spéciale. Et il trouvait la sagesse dont il avait besoin.

Une génération plus tard, l'un de ses disciples eut lui aussi un problème difficile à résoudre. Il alla dans la forêt et alluma le feu. Mais il n'arrivait pas à se souvenir de la prière. Pourtant, le feu suffit : il trouva la sagesse qu'il cherchait.

Plus tard, son fils eut, tout comme ses prédécesseurs, un problème difficile à résoudre. Il alla lui aussi dans la forêt mais il avait oublié comment il fallait allumer le feu.

« Dieu de l'Univers, dit-il, je ne me souviens pas de la prière, je ne sais plus comment allumer le feu. Je ne connais que l'endroit dans la forêt et cela devra suffire. »

Et cela fut suffisant.

De nombreuses générations plus tard, le rabbin Ben Levi s'assit dans son bureau, la tête entre les mains.

« Dieu de l'Univers, pria-t-il, regardez-nous aujourd'hui : nous avons oublié les mots de la prière, nous ne savons plus comment allumer le feu, nous ne pouvons plus retourner à l'endroit dans la forêt. La seule chose que nous pouvons faire, c'est raconter comment cela se pratiquait. » Et malgré cela, il trouva la sagesse dont il avait besoin.

Dans ces histoires, nous vous avons fait partager une certaine sagesse qui se trouve dans la tradition juive. C'est notre façon de nous rappeler le feu, la prière et l'endroit dans la forêt.

Nous les avons racontées de façon à ce que vous aussi, vous puissiez les raconter à nouveau à votre manière, tout comme nous l'avons fait, car les histoires se transforment a chaque fois qu'elles sont racontées par un conteur différent. Ce sont nos histoires qui nous relient d'une génération à l'autre. C'est dans les histoires que nous pouvons entrevoir tous les autres mondes imaginaires, et c'est à travers les histoires que la sagesse de toutes les traditions peut être partagée, rappelée et racontée à nouveau.

Glossaire

Araméen : Langue parlée par un grand nombre de gens en Palestine et à Babylone au Ier siècle apr. J.-C. Beaucoup de rabbins écrivaient et parlaient l'araméen aussi bien que l'hébreu.

Hassidisme : Courant religieux des juifs d'Europe de l'Est qui fut fondé au XVIIIe siècle par le rabbin Israël Ben Eliezer (vers 1700-1760) connu plus tard sous le nom de Baal Shem Tov – le Maître du Bon Nom.

Midrash : Terme provenant d'un

mot hébreu qui signifie « expliquer ». Un midrash est un conte ou une légende rabbinique qui servait à expliquer ou à embellir les vers de la Torah.

Numidie : Ancien pays de la côte de l'Afrique du Nord qui fut occupé par l'Empire romain. La Numidie était située à l'endroit où se trouve l'actuelle Algérie.

Shabbat : Dans la tradition juive, la période de vingt-cinq heures qui commence après le crépuscule du vendredi et se termine environ une heure après le crépuscule du samedi, est un jour saint. On allume les bougies le vendredi soir, et le lendemain est consacré aux prières, à l'étude de la Torah et au repos.

Talmud : Du mot hébreu qui signifie « étudier, apprendre ». Nom donné à un grand nombre de volumes de lois, de commentaires de la Torah, aussi bien qu'à des opinions et histoires dissidentes. À l'origine, ils étaient communiqués de bouche à oreille. Ces lois et légendes complexes, qui ont dirigé la vie religieuse des juifs pendant des siècles, ont été mises par écrit par les rabbins, à partir du IIIe siècle.

Torah : Nom hébreu donné aux cinq livres de la Bible, connus aussi sous le nom de Pentateuque ou les Cinq Livres de Moïse. La Torah peut également désigner les autres livres de l'Ancien Testament, ainsi que, d'une façon plus générale, l'enseignement et l'étude de la religion juive.

Yeshiva : École de l'apprentissage hébraïque. En Europe de l'Est, les familles sont prêtes à beaucoup de sacrifices pour permettre à leurs enfants d'entrer dans une yeshiva. Dans la culture hébraïque, la scolarité et l'éducation ont toujours tenu une place très importante.

Zuzim : (pluriel de *zuz*). Nom araméen donné à une ancienne pièce de monnaie en argent. Ce terme figure dans le premier vers de la chanson traditionnelle de Pâques *Chad Gadya* : « Mon père acheta un enfant unique (bouc) pour deux zuzim. »

Table